Usborne Farmyard Tales

First Spanish Word Book

Heather Amery
Illustrated by Stephen Cartwright

Edited by Jenny Tyler and Mairi Mackinnon
Designed by Helen Wood and Joe Pedley

You can hear all the Spanish words in this book, read by a Spanish person, on the Usborne Quicklinks Website. All you need is an Internet connection and a computer that can play sounds. Just go to **www.usborne-quicklinks.com** then type in the keywords **first spanish words** and follow the simple instructions. Always follow the safety rules on the Usborne Quicklinks Website when you are using the Internet.

There is a little yellow duck to find on every double page.

Spanish language consultant: Pilar Dunster

Ésta es la granja Los Manzanos.

This is Apple Tree Farm.

El señor y la señora Boot viven aquí con sus niños, Poppy y Sam.

Mr. and Mrs. Boot live here with their children, Poppy and Sam.

Tienen un perro que se llama Rusty, y un gato que se llama Whiskers.

They have a dog called Rusty and a cat called Whiskers.

Ted trabaja en la granja. Cuida a los animales.

Ted works on the farm. He looks after the animals.

La señora Boot

El señor Boot

Ted

Poppy

Sam

Rusty

Whiskers

Woolly

Curly

3

Los animales de la granja

Farm animals

el perro
dog

el ternero
calf

la vaca
cow

el cerdo
pig

el cerdito
piglet

la oveja
sheep

el cordero
lamb

el caballo
horse

el burro
donkey

la cabra
goat

el pájaro
bird

el gato
cat

el pato
duck

el patito
duckling

la oca
goose

el ratón
mouse

la casa
house

la chimenea
chimney

el globo de aire caliente hot air balloon

la bici
bicycle

el coche
car

el techo
roof

la puerta
door

Ésta es la casa de Poppy y Sam.

This is Poppy and Sam's house.

la ventana
window

la valla
fence

la puerta de
la valla
gate

la nube
cloud

7

la tienda de
campaña
tent

la rana
frog

el sendero
path

el arroyo
stream

el barco
boat

el pez
fish

8

el puente
bridge

el almiar
haystack

el espantapájaros
scarecrow

la charca
pond

el conejo
rabbit

En el arroyo

By the stream

En el patio de la granja

In the farmyard

La señora Boot está lavando el coche.

Mrs. Boot is washing the car.

Poppy va en bici.

Poppy is riding her bicycle.

Hay un globo de aire caliente en el cielo.

There is a hot air balloon in the sky.

el coche
car

la bici
bicycle

el globo de aire caliente hot air balloon

la nube
cloud

10

El arroyo

The stream

Sam está jugando con su barco.

Sam is playing with his boat.

Poppy intenta pescar un pez.

Poppy is trying to catch a fish.

La rana se esconde.

The frog is hiding.

Un pez salta fuera del agua.

A fish jumps out of the water.

el arroyo
stream

el barco
boat

el pez
fish

la rana
frog

el puente
bridge

las sandalias
sandals

el sombrero
hat

las bragas
pants

la camiseta
t-shirt

los calcetines
socks

el vestido
dress

La señora Boot tiende la ropa limpia.

Mrs. Boot is hanging out the washing.

los zapatos
shoes

la sudadera
sweatshirt

el camisón
nightdress

el pantalón corto
shorts

los vaqueros
jeans

la camisa
shirt

13

la escalera
ladder

la manzana
apple

la hoja
leaf

la oruga
caterpillar

el árbol
tree

el zorro
fox

Poppy ayuda a su mamá a recoger las manzanas.

Poppy is helping her mum to pick the apples.

la abeja
bee

la mariposa
butterfly

el columpio
swing

la flor
flower

el escarabajo
beetle

el caracol
snail

15

Tender la ropa limpia

Hanging out the washing

Rusty quiere jugar con un calcetín.

Rusty wants to play with a sock.

El gato está jugando con el sombrero.

The cat is playing with the hat.

Los vaqueros de Sam están en la cuerda.

Sam's jeans are on the line.

Poppy sostiene su vestido.

Poppy is holding her dress.

el calcetín
sock

el vestido
dress

los vaqueros
jeans

el sombrero
hat

El huerto The orchard

La señora Boot está subida a una escalera.

Mrs. Boot is up a ladder.

Sam está en el columpio.

Sam is on the swing.

¿Va Poppy a coger la manzana?

Is Poppy going to catch the apple?

Un zorro se esconde detrás del árbol.

A fox is hiding behind the tree.

la escalera
ladder

el columpio
swing

el zorro
fox

el árbol
tree

la manzana
apple

el
gallinero
hen house

la cesta
basket

la lombriz
worm

la pala
spade

el huevo
egg

la carretilla
wheelbarrow

la pluma
feather

Sam da de comer a las gallinas.

Sam is feeding the hens.

el cubo
bucket

la gallina
hen

el pollito
chick

la escudilla
dish

el ratón
mouse

la paja
straw

el
remolque
trailer

el saco
sack

el destornillador
screwdriver

el asiento
seat

la caja de
herramientas
toolbox

el **martillo**
hammer

Ted está arreglando
el tractor.

Ted is mending the tractor.

el tractor
tractor

la pintura
paint

la llave inglesa
spanner

la cuerda
rope

el volante
steering wheel

21

Dar de comer a las gallinas

Feeding the hens

Este pollito tiene hambre.

This chick is hungry.

Cuenta los huevos.

Count the eggs.

Hay una gallina encima del gallinero.

There is a hen on top of the hen house.

Sam trae la comida en un cubo.

Sam is bringing feed in a bucket.

el huevo	el gallinero	el pollito	el cubo	la cesta	la gallina
egg	hen house	chick	bucket	basket	hen

22

Arreglar el tractor

Mending the tractor

Ted está arreglando el tractor.

Ted is mending the tractor.

Poppy está pintando el remolque.

Poppy is painting the trailer.

Sam sostiene el martillo.

Sam is holding the hammer.

el tractor
tractor

el martillo
hammer

el saco
sack

el remolque
trailer

la máquina

engine

los raíles

tracks

la señal

signal

24

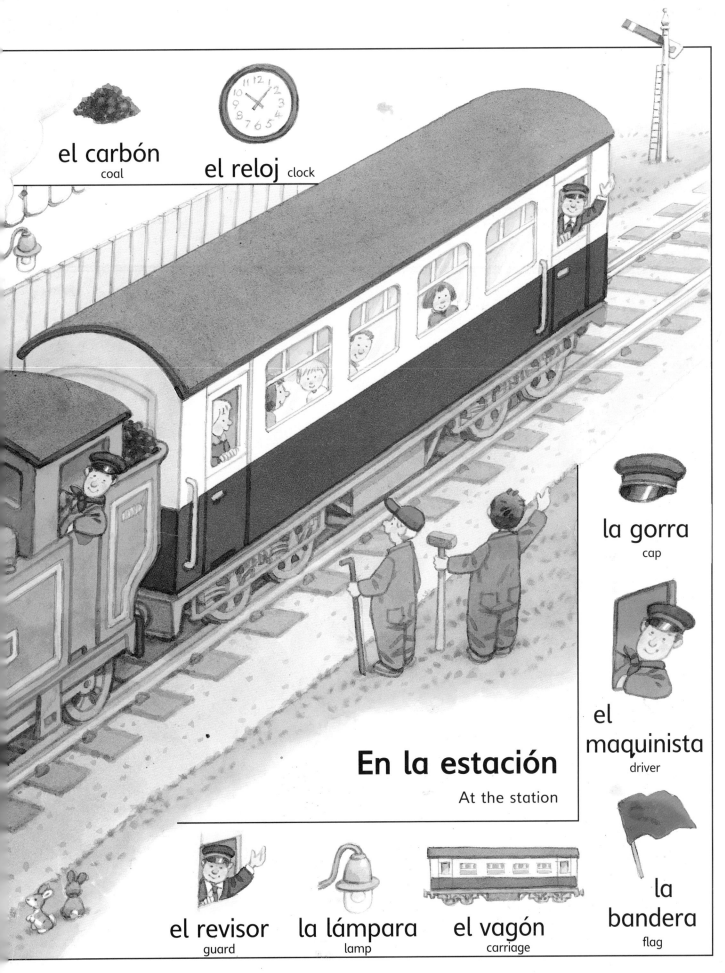

el carbón
coal

el reloj clock

la gorra
cap

el maquinista
driver

En la estación

At the station

el revisor
guard

la lámpara
lamp

el vagón
carriage

la bandera
flag

el castillo de arena
sandcastle

los cabellos
hair

la concha
shell

la mano
hand

los pies
feet

las gafas de sol
sunglasses

los flotadores
armbands

26

el helado
ice cream

la cabeza
head

la pelota
ball

la toalla
towel

la cesta
basket

el cangrejo
crab

Poppy y Sam
están en la playa.

Poppy and Sam are at the beach.

La estación The station

La máquina está en la estación.

The engine is in the station.

El revisor sonríe.

The guard is smiling.

Es la hora de la salida del tren.

It's time for the train to go.

La señora Boot agita la bandera.

Mrs. Boot is waving the flag.

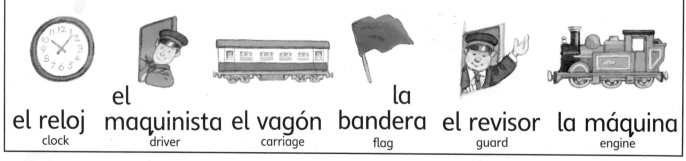

el reloj
clock

el maquinista
driver

el vagón
carriage

la bandera
flag

el revisor
guard

la máquina
engine

En la playa

At the beach

Sam lleva flotadores.

Sam is wearing armbands.

La señora Boot peina los cabellos de Poppy.

Mrs. Boot is combing Poppy's hair.

El señor Boot está enterrado en la arena.
Sólo se ven su cabeza y sus pies.

Mr. Boot is buried in the sand. You can only see his head and his feet.

los flotadores
armbands

los cabellos
hair

la cabeza
head

los pies
feet

las patatas
potatoes

la zanahoria
carrot

las uvas
grapes

las cerezas
cherries

los guisantes
peas

los tomates
tomatoes

las fresas
strawberries

la col
cabbage

los champiñones
mushrooms

las cebollas
onions

las ciruelas
plums

la pera
pear

las judías verdes
green beans

La señora Boot, Poppy y Sam venden frutas y verduras.

Mrs. Boot, Poppy and Sam are selling fruit and vegetables.

el pepino
cucumber

la coliflor
cauliflower

la lechuga
lettuce

la manta
rug

el chocolate
chocolate

la naranja
orange

el plato
plate

el pastel
cake

el cuchillo
knife

el yogur
yogurt

Poppy y Sam
hacen un picnic.

Poppy and Sam are having a picnic.

el parasol
umbrella

el pan
bread

el plátano
banana

el sándwich
sandwich

la botella
bottle

el zumo
fruit juice

el tenedor
fork

la taza
cup

el queso
cheese

33

Las frutas y verduras Fruit and vegetables

La señora Boot sostiene un racimo de uvas.

Mrs. Boot is holding a bunch of grapes.

Sam trae patatas y lechugas en una carretilla.

Sam is bringing potatoes and lettuces in a wheelbarrow.

¿Cuántas coles tiene Poppy?

How many cabbages is Poppy holding?

¿Va Curly a comer el tomate?

Is Curly going to eat the tomato?

las uvas
grapes

las coles
cabbages

las patatas
potatoes

las lechugas
lettuces

los tomates
tomatoes

El picnic

The picnic

Poppy ha dejado caer la botella.

Poppy has dropped the bottle.

La señora Boot tiene queso en un plato.

Mrs. Boot has some cheese on a plate.

Sam se sirve leche.

Sam is pouring himself some milk.

la botella
bottle

el queso
cheese

el cuchillo
knife

el plato
plate

la leche
milk

el ordenador
computer

el teléfono
telephone

el periódico
newspaper

la foto
photo

el vídeo
video

el cuadro
picture

Poppy lee un libro y Sam está jugando con su ordenador.

Poppy is reading a book and Sam is playing on his computer.

la radio
radio

el lápiz
pencil

la televisión
television

la mesa
table

el CD
CD

el rotulador
felt tip pen

la cámara
camera

el estéreo
stereo

la silla
chair

las zapatillas
slippers

la almohada
pillow

la cama
bed

el osito
teddy

el libro
book

el jabón
soap

el cepillo
brush

la persiana
blind

el peine
comb

el espejo
mirror

el lavabo
basin

Es la hora de acostarse.

It's time for bed.

la muñeca
doll

el cepillo de dientes
toothbrush

el váter
toilet

En casa

At home

Poppy lee un libro.

Poppy is reading a book.

Aquí está el teléfono.

Here's the telephone.

Sam está jugando
con su ordenador.

Sam is playing on his computer.

Papá lee el periódico.

Dad's reading the newspaper.

el libro
book

el teléfono
telephone

el periódico
newspaper

la mesa
table

el ordenador
computer

La hora de acostarse

Bedtime

El osito está encima
de la almohada.

The teddy is on the pillow.

Sam está saltando en su cama.

Sam is jumping on his bed.

El jabón está
en el lavabo.

The soap is on the basin.

Poppy se cepilla
los dientes con su
cepillo de dientes.

Poppy is brushing her teeth with her
toothbrush.

la cama
bed

el cepillo
de dientes
toothbrush

el osito
teddy

la almohada
pillow

el
jabón
soap

el
lavabo
basin

El tiempo

Weather

la nieve

snow

el sol

sun

la lluvia

rain

la niebla

fog

el viento

wind

Las estaciones Seasons

la primavera

spring

el verano

summer

el arco iris rainbow

la tormenta storm

el hielo
ice

las nubes
clouds

el otoño
autumn

el invierno
winter

Los colores

Colours

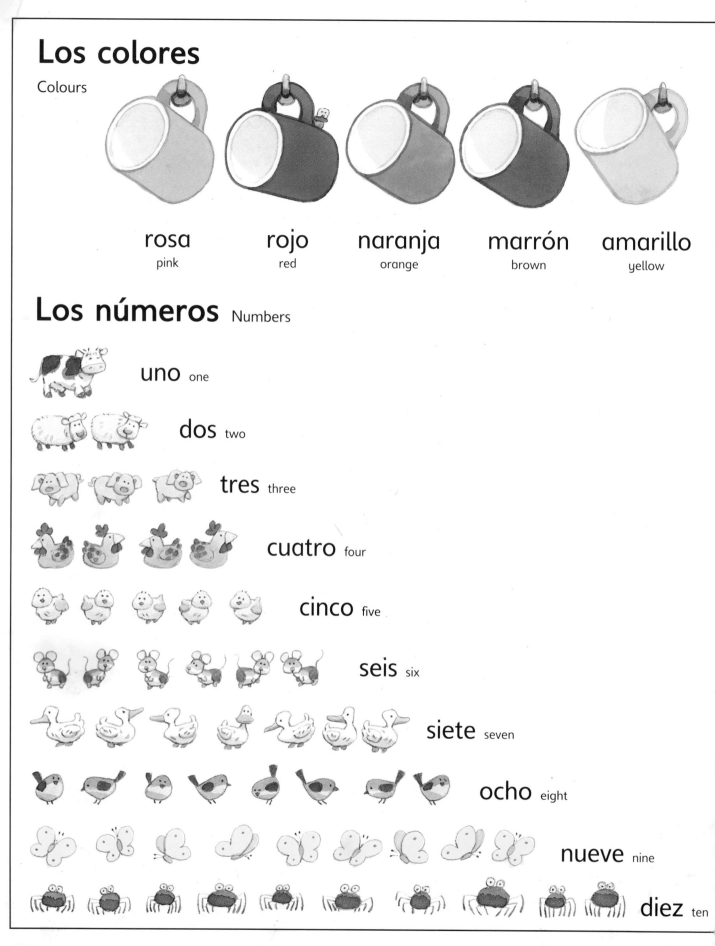

rosa
pink

rojo
red

naranja
orange

marrón
brown

amarillo
yellow

Los números Numbers

uno one

dos two

tres three

cuatro four

cinco five

seis six

siete seven

ocho eight

nueve nine

diez ten

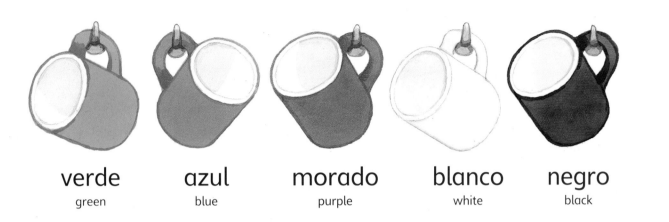

verde
green

azul
blue

morado
purple

blanco
white

negro
black

Hay cien perros en esta página. Cuéntalos.

There are 100 dogs on this page. Count them.

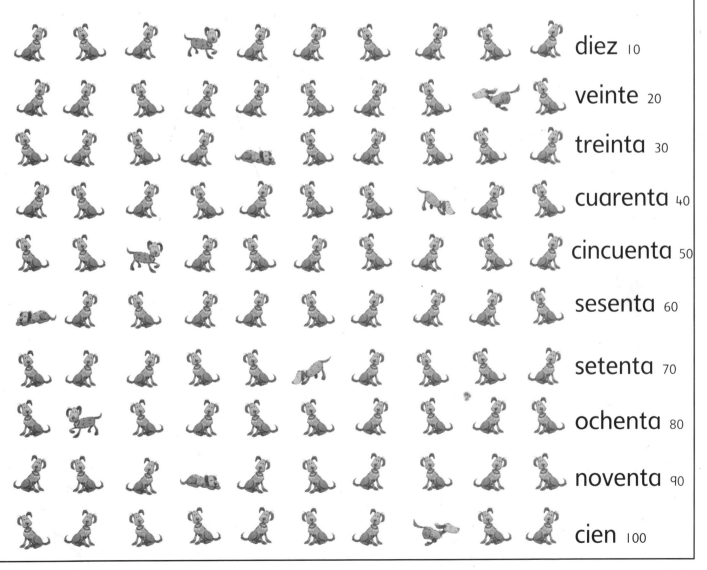

diez 10

veinte 20

treinta 30

cuarenta 40

cincuenta 50

sesenta 60

setenta 70

ochenta 80

noventa 90

cien 100

Word List

la abeja
el almiar
la almohada
amarillo
el árbol
el arco iris
el arroyo
el asiento
azul
la bandera
el barco
la bici
blanco
la botella
las bragas
el burro
el caballo
los cabellos
la cabeza
la cabra
la caja de
  herramientas
los calcetines
la cama
la cámara
la camisa
la camiseta
el camisón

el cangrejo
el caracol
el carbón
la carretilla
la casa
el castillo de arena
el CD
las cebollas
el cepillo
el cepillo de dientes
el cerdito
el cerdo
las cerezas
la cesta
los champiñones
la charca
la chimenea
el chocolate
cinco
las ciruelas
el coche
la col
la coliflor
el columpio
la concha
el conejo
el cordero
el cuadro

cuatro
el cubo
el cuchillo
la cuerda
Curly
el destornillador
diez
dos
la escalera
el escarabajo
la escudilla
el espantapájaros
el espejo
el estéreo
la flor
los flotadores
la foto
las fresas
las gafas de sol
la gallina
el gallinero
el gato
el globo de aire
  caliente
la gorra
los guisantes
el helado
el hielo

la hoja
el huevo
el invierno
el jabón
las judías verdes
la lámpara
el lápiz
el lavabo
la leche
la lechuga
el libro
la lombriz
la llave inglesa
la lluvia
la mano
la manta
la manzana
la máquina
el maquinista
la mariposa
marrón
el martillo
la mesa
morado
la muñeca
naranja
la naranja
negro

la niebla
la nieve
la nube
nueve
la oca
ocho
el ordenador
la oruga
el osito
el otoño
la oveja
la paja
el pájaro
la pala
el pan
el pantalón corto
el parasol
el pastel
las patatas
el patito
el pato
el peine
la pelota
el pepino
la pera
el periódico
el perro
la persiana

el pez
los pies
la pintura
el plátano
el plato
la pluma
el pollito
Poppy
la primavera
el puente
la puerta
la puerta de la valla
el queso
la radio
los raíles
la rana
el ratón
el reloj
el remolque
el revisor
rojo
rosa
el rotulador
Rusty
Sam
las sandalias
el sándwich
el saco

seis
la señal
el sendero
el señor Boot
la señora Boot
siete
la silla
el sol
el sombrero
la sudadera
la taza
el techo
Ted
el teléfono
la televisión
el tenedor
el ternero
la tienda de
    campaña
la toalla
los tomates
la tormenta
el tractor
tres
uno
las uvas
la vaca
el vagón

la valla
los vaqueros
el váter
la ventana
el verano
verde
el vestido
el vídeo
el viento
el volante
Whiskers
Woolly
el yogur
la zanahoria
las zapatillas
los zapatos
el zorro
el zumo

Can you find a
word to match
each picture?

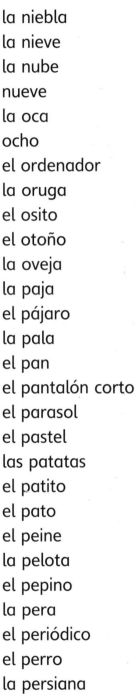
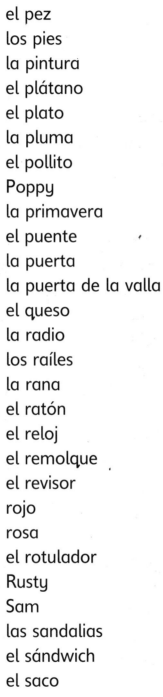